Bon anniversaire la Lune

Frank Asch

Editions du Sorbier

Traduit de l'anglais

Loi 49-956 du 16 juillet 1949 sur les publications destinées à la jeunesse

Titre original:
Happy Birthday, Moon : © 1982 by Frank Asch
Titre publié en accord avec Simon & Schuster Books for Young Readers,
- Simon & Schuster Children's Publishing Division.

ISBN 2-7320-3580-7
IMPRIME EN BELGIQUE

à Devin

Un soir Petit Ours regarde la Lune.
"Comme elle est belle. Je vais lui demander la date
de son anniversaire et je lui offrirai un beau cadeau."

Petit Ours monte sur un arbre
pour parler à la Lune.
"Bonjour", crie-t-il.
Mais la Lune ne répond pas.
"Je suis trop loin. Elle ne peut pas
m'entendre", se dit Petit Ours.

Alors il prend sa barque, franchit la rivière...

... traverse la forêt...

... et grimpe sur la montagne.

Petit Ours est maintenant tout près
de la Lune et crie :
"Bonjour"
Sa voix résonne contre la montagne
et l'écho répond :
"Bonjour !"
Petit Ours est tout joyeux.
"La Lune m'a parlé", croit-il.
Et il continue :
"C'est quand ton anniversaire ?"
Et la Lune répond :
"C'est quand ton anniversaire ?!"

"C'est demain", dit Petit Ours.

"C'est demain !" répond la Lune.

Petit Ours demande alors :

"Que veux-tu pour ton anniversaire ?"

Et la Lune répond :

"Que veux-tu pour ton anniversaire ?!"

Petit Ours, tout content, crie :

"Je veux un beau chapeau."

Et il entend aussitôt :

"Je veux un beau chapeau !"

"Au revoir !" dit alors Petit Ours.
"Au revoir !" répond enfin la Lune.

De retour chez lui, Petit Ours prend tout l'argent
de sa tirelire...

... va chez le marchand de chapeaux...

... et achète le plus grand et le plus beau.

A la nuit tombée, il place son cadeau sur
la dernière branche de l'arbre, afin que la Lune
le trouve facilement. Il attend, la Lune apparaît

lentement derrière la branche de l'arbre, et enfin
s'arrête juste sous le chapeau.
"Bravo, applaudit Petit Ours, tu l'as trouvé !"

Mais pendant la nuit le chapeau est tombé,
et en se levant Petit Ours le trouve devant sa porte.
"La Lune m'a offert un chapeau", dit-il en l'essayant.

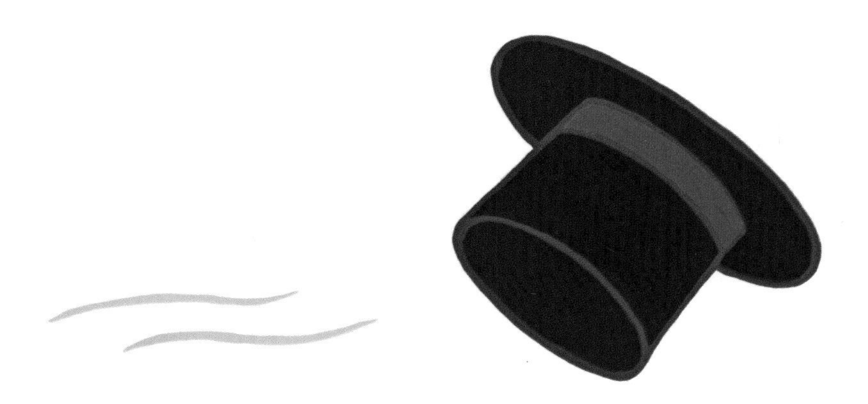

Mais juste à ce moment-là,
le vent se met à souffler si fort...

... que le chapeau s'envole.

Alors Petit Ours reprend sa barque, franchit la rivière,

traverse la forêt...

... pour aller retrouver la Lune.

Mais la Lune est bien silencieuse,
alors Petit Ours prend la parole :
"Bonjour."
"Bonjour !" répond la Lune.
"Ton beau chapeau s'est envolé", dit Petit Ours.
"Ton beau chapeau s'est envolé !" répond la Lune.
"Ça ne fait rien, tu es mon amie", dit Petit Ours
"Ça ne fait rien, tu es mon ami !" répond la Lune

"Joyeux anniversaire", dit Petit Ours.
"Joyeux anniversaire !" répond la Lune.